À tous les membres de la [illegible]

L'apprentissage de la lecture est l'une des réalisations les plus importantes de la petite enfance. La collection *Je peux lire!* est conçue pour aider les enfants à devenir des lecteurs experts qui aiment lire. Les jeunes lecteurs apprennent à lire en se souvenant de mots utilisés fréquemment comme « le », « est » et « et », en utilisant les techniques phoniques pour décoder de nouveaux mots et en interprétant les indices des illustrations et du texte. Ces livres offrent des histoires que les enfants aiment et la structure dont ils ont besoin pour lire couramment et sans aide. Voici des suggestions pour aider votre enfant avant, pendant et après la lecture.

Avant

Examinez la couverture et les illustrations, et demandez à votre enfant de prédire de quoi on parle dans le livre.

Lisez l'histoire à votre enfant.

Encouragez votre enfant à dire avec vous les formulations et les mots qui lui sont familiers.

Lisez une ligne et demandez à votre enfant de la relire après vous.

Pendant

Demandez à votre enfant de penser à un mot qu'il ne reconnaît pas tout de suite. Donnez-lui des indices comme : « On va voir si on connaît les sons » et « Est-ce qu'on a déjà lu un mot comme celui-là? ».

Encouragez l'enfant à utiliser ses compétences phoniques pour prononcer d'autres mots.

Lorsque l'enfant a besoin d'aide, lisez-lui le mot qui pose un problème, pour qu'il n'ait pas trop de mal à lire et que l'expérience de la lecture avec les parents soit positive.

Encouragez votre enfant à lire avec expression... comme un comédien!

Après

Proposez à votre enfant de dresser une liste des mots qu'il préfère.

Encouragez votre enfant à relire ses livres. Il peut les lire à ses frères et sœurs, à ses grands-parents et même à ses toutous. Les lectures répétées donnent confiance au jeune lecteur.

Parlez des histoires que vous avez lues. Posez des questions et répondez à celles de votre enfant. Partagez vos idées au sujet des personnages et des événements les plus amusants et les plus intéressants.

J'espère que vous et votre enfant allez aimer ce livre.

Francie Alexander,
spécialiste en lecture
Groupe des publications
éducatives de Scholastic

Conception graphique : Rick DeMonico

Catalogage avant publication de Bibliothèque et Archives Canada

Capeci, Anne
L'autobus magique dans le vent / Anne Capeci ;
illustrations de Carolyn Bracken ; texte français d'Isabelle Allard.

Traduction de: The magic school bus rides the wind.

Pour les 5 à 7 ans.

ISBN 978-1-4431-1870-5

1. Vents--Ouvrages pour la jeunesse.
I. Bracken, Carolyn II. Titre.

QC931.4.C3714 2012 j551.51'8 C2011-907735-3

Édition publiée par les Éditions Scholastic,
604, rue King Ouest, Toronto (Ontario) M5V 1E1

5 4 3 2 1 Imprimé au Canada 119 12 13 14 15 16

Jérôme Raphaël Kisha Pascale Carlos Thomas Catherine Hélène-Marie

Anne Capeci

Illustrations de Carolyn Bracken
Texte français d'Isabelle Allard

Inspiré des livres *L'autobus magique* écrits par Joanna Cole et illustrés par Bruce Degen.

Sincères remerciements à Jonathan D.W. Kahl, professeur de sciences atmosphériques à l'université du Wisconsin-Milwaukee, pour ses conseils au cours de la préparation de ce livre.

Nous nous amusons bien dans la classe de Mme Friselis. Elle porte de drôles de vêtements et de chaussures.
Et nous faisons de drôles d'excursions à bord de l'autobus magique!
BALLON-SONDE
MON CERF-VOLANT EST PRESQUE FINI.
COLLE

1. Comment le vent disperse-t-il les graines?
2. À quoi servent les ballons-sondes?
3. Comment fonctionne une éolienne?

JE VAIS OFFRIR LE MIEN À MA GRAND-MÈRE POUR SON ANNIVERSAIRE.

Aujourd'hui, nous étudions le vent. Dehors, les feuilles tourbillonnent. — Ce vent est parfait pour faire voler des cerfs-volants, dit Mme Friselis.
Vocabulaire du vent :
brise
bourrasque
rafale
blizzard
chinook
noroît
suroît
TABLEAU DES VENTS
JOUR FORCE DIRECTION
lun 19 km/h NO
mar 3 km/h SE
mer 6 km/h SO
jeu 15 km/h NO
ven 5 km/h SE
J'ÉCRIS UN TEXTE SUR LE VENT.
TU LE FINIRAS PLUS TARD.
QU'EST-CE QUE LE VENT?
par Hélène-Marie
Le vent, c'est de l'air en mouvement. Il survient quand une masse d'air lourde déplace une masse d'air plus légère.
Le vent peut monter, descendre et tourner.

CE N'EST PAS TROP VENTEUX DEHORS?
O
N
E
S

Zoooum!
Le vent soulève aussitôt nos cerfs-volants.
— Hourra! crions-nous en chœur.
ON NE VOIT PAS LE VENT.
MAIS ON LE SENT.
ET ON L'ENTEND.

Soudain, le vent emporte le cerf-volant de Catherine!
OH NON! MON CERF-VOLANT!

Nous sommes au sol.
Le cerf-volant est dans le
ciel. Comment peut-on
aller le chercher?

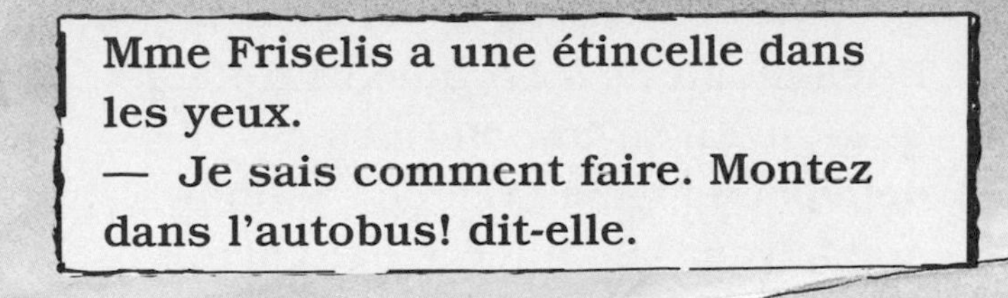
Mme Friselis a une étincelle dans les yeux.
— Je sais comment faire. Montez dans l'autobus! dit-elle.

Nous montons à bord de l'autobus magique. Il se transforme en deltaplane! Mme Friselis explique que le vent fait voler le deltaplane comme un cerf-volant.

Maintenant, le vent nous soulève dans les airs.
ATTENTION AU DÉCOLLAGE!
JE VEUX MON CERF-VOLANT!

Nous ne sommes pas les seuls à voler dans le ciel.
LA FORCE DU VENT
par Pascale
Quand le vent exerce une pression sur un objet, il le fait monter.
CERF-VOLANT
DELTAPLANE
Il le fait avancer.
VOILIER
Il le fait tourner.
MOULIN À VENT

Le cerf-volant de Catherine est droit devant nous. Mais il y a quelque chose derrière nous aussi. C'est un gros nuage noir.
LE VENT PEUT CAUSER UN CHANGEMENT DE TEMPS.
CE NUAGE D'ORAGE NOUS POURSUIT!
J'AURAIS DÛ RESTER CHEZ MOI CE MATIN.

L'orage se déplace rapidement et le nuage nous rattrape. Le vent secoue l'autobus.
— Je sais comment sortir d'ici, déclare Mme Friselis.
JE NE VOIS PLUS MON CERF-VOLANT!
JE NE VOIS RIEN!

LE VENT PEUT SOUFFLER TRÈS DOUCEMENT...
OU ASSEZ FORT POUR DÉTRUIRE UNE MAISON.
ET AUSSI POUR BALLOTTER L'AUTOBUS!

L'autobus magique se transforme à nouveau. Il devient un ballon-sonde! Nous montons de plus en plus haut. Nous sommes bientôt au-dessus de l'orage.

— Je vois une éclaircie! annonce Mme Friselis.

LES BALLONS-SONDES
par Raphaël
Les ballons-sondes peuvent monter à plus de 30 km de hauteur. Ils sont équipés d'instruments qui indiquent le temps qu'il fait en altitude.

Nous apercevons le cerf-volant. Il flotte dans le vent tout en bas. Dépêchons-nous!
VITE, MME FRISELIS!
SUIVEZ LE CERF-VOLANT!

Le ballon-sonde se pose sur le sol.
Le vent fait voler des graines
autour de nous.

AS-TU FAIT UN VŒU?

MOI, JE SOUHAITE ATTRAPER LE CERF-VOLANT DE CATHERINE.

LE VENT TRANSPORTE LES GRAINES

par Jérôme

Le vent aide à faire pousser les arbres et les plantes. Il transporte les graines sur de grandes distances. Quand une graine tombe au sol, elle germe, pousse et devient une nouvelle plante.

ÉRABLE

PISSENLIT

Nous sommes dans un parc éolien.
Les hélices, face au vent, tournent.
Le cerf-volant s'en approche.
— Mon cerf-volant est en danger!
POUVONS-NOUS LE SAUVER?
POURQUOI PAS?

Nous courons vite comme le vent.
— J'espère qu'il n'est pas trop tard! dit Catherine.
TOUT CE QUI BOUGE A DE L'ÉNERGIE.
LE VENT BOUGE, DONC IL A DE L'ÉNERGIE.
MOI, JE N'AI PLUS D'ÉNERGIE!

L'ÉNERGIE DU VENT

par Kisha

Les éoliennes utilisent l'énergie du vent. Le vent fait tourner leurs hélices. Ce mouvement fait fonctionner un mécanisme à l'intérieur de l'éolienne.

Des moulins à vent servent à moudre du grain. Certaines éoliennes servent à pomper de l'eau. D'autres fabriquent de l'électricité.

HÉLICES
tournent au vent

GÉNÉRATEUR
convertit l'énergie en électricité

SYSTÈME INFORMATIQUE
contrôle la direction des hélices

CÂBLE
achemine l'électricité

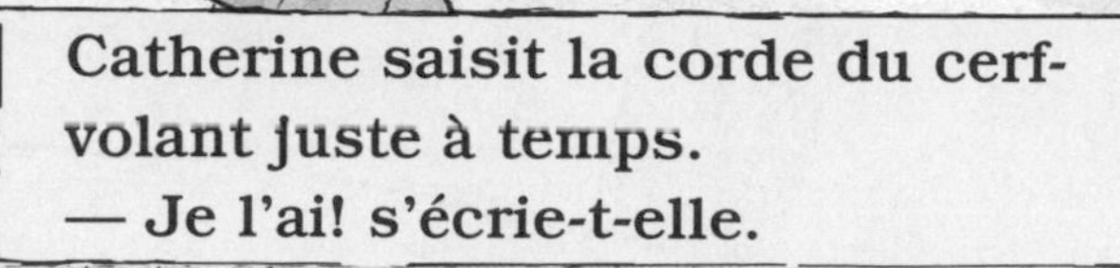
Catherine saisit la corde du cerf-volant juste à temps.
— Je l'ai! s'écrie-t-elle.
MA GRAND-MÈRE VA ADORER SON CADEAU.

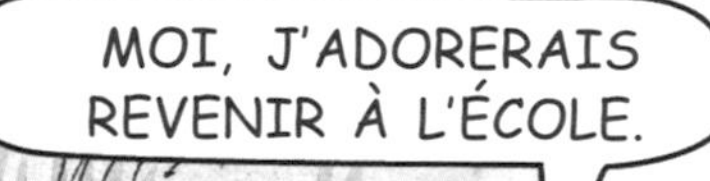
MOI, J'ADORERAIS REVENIR À L'ÉCOLE.

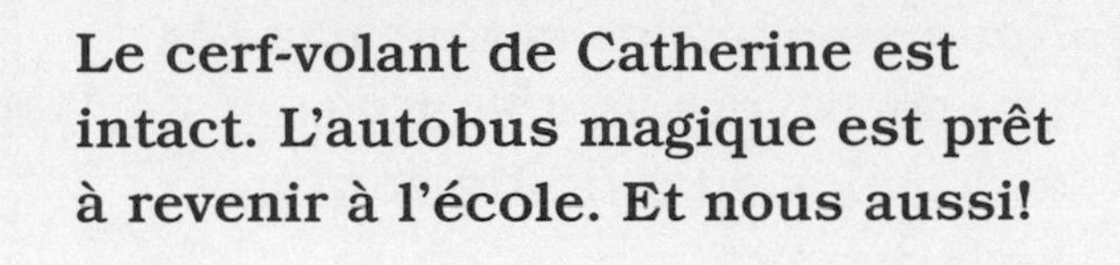
Le cerf-volant de Catherine est intact. L'autobus magique est prêt à revenir à l'école. Et nous aussi!

COUPE-VENT
CETTE SORTIE M'A COUPÉ LE SOUFFLE!

Nous sommes de retour dans la classe. Nos cerfs-volants sont accrochés au mur. Ils sont superbes!
Carlos
Raphaël
Kisha
Carlos
THOMAS
Catherine
H.-M.
Pascale
Thomas
Jérôme
OÙ IRONS-NOUS LA PROCHAINE FOIS?

Quelle sera notre prochaine sortie à bord de l'autobus magique? Nous avons hâte de connaître la réponse!
Pascale
BONNE QUESTION!

COMMENT MESURER LE VENT

Des instruments spéciaux servent à mesurer le vent :
Un anémomètre indique la vitesse du vent.

Une manche à air nous renseigne sur la force du vent
et aussi sur la direction du vent.